Virginie Vertonghen - Carine De Brab

LA VAVACHE

TAGADA TSOIN TSOIN

Couleurs : Veerle Swinnen

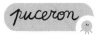

Pour Félix et Clara.
Pour le petit Lucas.

Conception graphique : Dogstudio.be

Dépôt légal : septembre 2008 — D.2008/0089/151
ISBN 978-2-8001-4154-1
© Dupuis, 2008.
www.DUPUIS.com

3

4

6

13

14

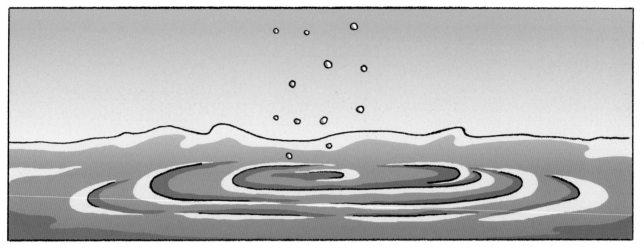

19

20

22

28

LA COLLECTION PUCERON
à lire seul à partir de 3 ans

PETIT POILU
1. La Sirène Gourmande
2. La Maison Brouillard
3. Pagaille au potager

HUGO
1. Le croque-mouton
2. La Sorcière Grenadine
3. L'arbre à bisous

LA VAVACHE
1. Plif ! Plaf ! Plouf !
2. Tagada tsoin tsoin

MÉCHANT BENJAMIN
1. Ah non !
2. Pas beau !
3. Brutus

LE PETIT MONDE DE PÈRE NOËL
1. Elle veut changer Noël

Tournez vite la page...

...pour rencontrer tous nos amis !

LA COLLECTION PUNAISE
à lire seul à partir de 6 ans

LES ENFANTS D'AILLEURS
1. Le passage
2. Les Ombres
3. Le Maître des Ombres

GUSGUS
1. Les rois du monde
2. Papa cool

MADEMOISELLE LOUISE
1. Un papa cadeau
2. Cher petit trésor
3. Une gamine en or

OSCAR
1. Boule de gnome !
2. Pagaille dans les nuages
3. Les gadjos du cirque
4. Le roi des bobards
5. Chinoiseries
6. Deux pour le prix d'un

LUDO
1. Tranches de quartier
2. Tubes d'aventure
3. Enquêtes et squelettes
4. Sales petits voleurs ! (à paraître)
5. Le Club de l'Éclair (à paraître)
6. La Coupe Castar (à paraître)
7. Qu'as-tu, Kim ?

LE MONDE SELON FRANÇOIS
1. Le secret des écrivains
2. Les amants éternels

AGATHE SAUGRENU
1. Je suis un monstre !
2. Masques et visages

PRINCE GÉDEON
1. Trois chewing-gums pour sauver Milena

BRIGADE FANTÔME
1. Ribambelle pour une poubelle

SAC À PUCES
1. Super Maman
2. Chauds les marrons !
3. Gare à ta truffe !
4. Docteur Pupuces
5. Le lundi au soleil
6. Ça déménage ! (à paraître)
7. De l'orage dans l'air (à paraître)
8. Mamy Galettes

ET bienTôT...

... plein d'auTres nouveaux amis !